ホセ・ルイスの 戦車模型の作り方

Part 2 冷戦時代の戦車

《模型製作・解説》ホセ＝ルイス・ロペス＝ルイス
Modeling & Description by Jose Luis Lopez Ruiz

JN069697

TANKS of THE COLD WAR

冷戦時代とは？

『Part 1：第二次大戦戦車』に続き、本書Part 2では、ポスト第二次大戦ともいうべき、"冷戦"をその題材として選びました。第二次大戦終了後、世界は超大国ソ連・アメリカを中心とした東西両陣営による新たな対立、"冷戦時代"（〜1991年）に突入します。

45年間も続いた冷戦時代、米ソ両国及びNATO、ワルシャワ条約機構諸国が直接会い見えるような世界的な大規模戦争は勃発しませんでした。しかし、その一方で米ソ両大国の支援・影響下で行なわれた戦争や領土問題、宗教問題から生じた戦争は数多く発生しています。朝鮮戦争やベトナム戦争、中東戦争、ソ連によるアフガニスタン侵攻、印パ戦争、イラン・イラク戦争、さらにレバノン、カンボジア、グアテマラ、コロンビア、エチオピアなど局地的な戦闘も含めると、120以上もの戦争（および内乱・紛争）が生じています。

1971年生まれの私（ホセ・ルイス）は、1970〜1980年代の冷戦時代をまさに体感した世代です。多くの戦争・紛争をTV、新聞などマスメディアにより見聞きし、そのシリアスな雰囲気を感じ取っていたものでした。当時、米国ハリウッドでは『若き勇者たち』、『トップガン』、『ランボー』など、プロパガンダさながらの反ソ映画が盛んに制作されていました。トム・クランシーの小説『レッド・ストーム作戦発動』などを読み、映画『レッド・オクトーバーを追え』などを見ていたことも思い出します。音楽では、ネーナの『ロックバルーンは99』（ヨーロッパでは反戦曲として知られる）が大ヒットしたのもその頃です。

本書について

冷戦時代、東西両陣営は今以上に兵器開発にしのぎを削り、新技術を導入した数多くの兵器を開発しました。AFVでは、有名なT-55／62／72、レオパルト1&2、M60、M1、チーフテン、チャレンジャー1などの主力戦車のみならず、歩兵戦闘車、捜索・追尾レーダー搭載対空戦車、ミサイル搭載対戦車／対空車両なども生まれています。

本書では、製作例として冷戦時代ヨーロッパ最前線に配備されていた西ドイツ軍ゲパルト対空戦車、アメリカ軍M60A3主力戦車、ベトナム戦争のアメリカ軍M551シェリダン空挺戦車、中東レバノン紛争での南レバノン軍ティラン4戦車をチョイスしました。

前作『Part1：第二次大戦戦車』と同様に本書もビギナーでも分かりやすいように、組み立てから塗装＆ウェザリング、仕上げに至るまで、数多くの写真によって"ステップ・バイ・ステップ"で各工程を詳しく解説しています。

また、できるだれけ様々な技法を解説するために、作例によって塗装とウェザリングの手法を変えました。

日本の読者の皆さんへ

塗料を始め、各種のウェザリング専用液／専用剤類、模型製作用具などは、私が住んでいるスペインで入手が容易なものをメインに使用しています。しかし、本誌とまったく同じものを使用する必要はありません。タミヤやGSIクレオス製品、さらに日本の代理店が取り扱っている輸入商品など、日本国内で入手が容易なもの、あるいは常日頃使い慣れたものを使用することをお勧めします。

最後に

模型製作に際して、レオパルト戦車を愛してやまない人たちの集まり『レオパルト・クラブ』のウェブサイト（http://www.leopardclub.ca/）を運営しているMichael Shackleton氏、T-55戦車が好きなレバノン軍車両のエキスパートであり、さらに私の友人でもあるSamer Kassis氏、国際的な模型愛好者協会IPMS NoVA の John & Nora Figueroa 夫妻、M60A3製作に協力してくれた友人のMarkus Lack氏、さらにアメリカのバージニア州ダンヴィルで素晴らしい戦車博物館AAF Tank Museumを運営するAmerican Armored Foundation（実車写真を提供していただいた）の協力を得ています。彼らにはこの紙面をお借りして感謝の意を表します。

CONTENTS

米軍および西側戦車の標準塗装、オリーブドラブ単色をリアルに表現

M551AR/AAV
SHERIDAN

M551AR ／ AAV シェリダン
—————— 1970年代初頭　ベトナム戦争アメリカ軍 ——————

戦後～1980年代の西側戦車の主な標準塗装は、オリーブドラブ単色塗装だった。オリーブドラブと一口に言っても国により色調は若干異なるが、ここでは戦後AFVとして製作例がもっとも多いものの一つ、アメリカ軍車両を例に解説していく。ここで紹介する組み立て、塗装＆ウェザリング方法は、使用塗料は変われど、ダークグリーン系単色塗装のソ連戦車、陸上自衛隊戦車の製作にも応用可能である。

アメリカ空挺戦車M551シェリダン（ベトナム戦争）（品番35365）
●タミヤ1/35　●4620円、発売中　●プラスチックキット

M551シェリダン空挺戦車とは？

M551シェリダンAR／AAV（Armored Reconnaissance ／ Airborne Assart Vehicle＝装甲偵察／空挺突撃車両）は、M41ウォーカーブルドッグ軽戦車の後継車両ですが、開発に際しては、空輸および空中投下が可能なこと、さらに水陸両用性能を有することが求められました。M551は、1960年代初頭に開発が始まり、1965年には制式採用が決定、1966～1970年末までに1562両が生産されました。

空挺／水陸両用を具現化した車体デザインの他に主武装としてM81 152mmガンランチャーを採用していることもM551シェリダンの特徴と言えます。M81は通常弾に加え、MGM-51Aシレイラ対戦車ミサイル（9発搭載）の発射が可能でした。MGM-51A対戦車ミサイルは2～3km先の目標を攻撃することができ、さらに152mm通常弾も歩兵支援火力としては当時のアメリカ軍主力戦車M48パットン戦車の90mm、105mm戦車砲よりも優れていました。また、M551は副武装として7.62mm機関銃と12.7mm重機関銃も各1挺ずつ装備しています。

M551は軽戦車でありながら、攻撃力はかなり強力でしたが、軽量化と浮航性を図るために

アルミ合金製の装甲が採用されており、防御性能は脆弱でした。

M551シェリダンといえば、やはりベトナム戦争を真っ先に思い浮かべる方が多いはず。1969年1月に200両のM551がベトナムに送られています。ただし、同戦場では本格的な対戦車戦闘が行なわれることがなかったため、高価で機密性が高いMGM-51A対戦車ミサイルは使用されませんでした。さらに自慢のガンランチャーは不調続きで、その上、対戦車兵器や地雷による攻撃にも弱く、M551は大した活躍もないまま1972年にベトナムでの任務を終えています。その後、M551は第82空挺師団に配備され、1989年のパナマ侵攻、1991年の湾岸戦争にも投入されたものの、やはり目立った活躍がないままに1996年に退役、予備役扱いとなり、ナショナル・トレーニングセンターで訓練用仮想敵車両として使用された後、2003年には全車運用を終えました。

タミヤのM551シェリダンを製作

2019年1月にリリースされたタミヤの新キットのM551シェリダンは、実車写真や資料、図面などと見比べても再現性が高く、非常によくできています。私は、運よく米国バージニア州ダンヴィルにあるアメリカン・アーマード・ファウンデーション設立の戦車博物館で実車を見学・撮影する機会を得て、それをこの模型製作に生かすことができました。

ディテールアップには、タミヤのキットに対応したパッションモデルズ1/35の『アメリカ空挺戦車シェリダン エッチングパーツ』(品番P35-145)などを使用しています。

オリーブドラブ単色塗装を再現

冷戦時代中期の1970年代半ば頃までのアメリカ軍戦車の標準塗装は、オリーブドラブ(OD)の単色塗装でした。ベトナム戦争時のM551シェリダンも同塗装が施されています。

オリーブドラブの基本色を塗装する前に、まずプライマー(サーフェイサー)を吹き、模型表面を整えた後、自身が考案した"ブラック＆ホワイト"(B&W)でプレシェーディングを行ないました。

ここで紹介する塗装方法は、同時期の西側AFVを製作する場合にも適用できます。AFV模型製作では、OD単色塗装をマスターしておけば、幅広いモデリングが可能です。

このキットは、組み立てが容易で、問題なく作業を進めていくことができ、その分、塗装とウェザリング作業に時間を割くことができました。各部の組み立て方法やディテールアップのやり方、塗装とウェザリング方法は、写真を交えながら各工程ごとに詳しく解説していきます。

組み立てにおけるポイント

足周りの工作

転輪を抜きやすくするために粘着剤(接着・固着しないもの)を塗っておく。

転輪は差し込んだだけで接着していない。

塗装とウェザリングのしやすさを考慮し、転輪と履帯は組み立てた後、容易に取り外せるようにした。

キットの履帯は、プラ製の連結式だが、上部と下部は一体成形されているので、組み立ては割と簡単だ。

パーティングラインの整形のみならず、裏面に部分的に残っている突き出しピンの跡もペーパーを掛けて消す。凹みが深い場合は、パテを使用する。ペーパーを掛けた箇所の削りカスは、必ず取り除いておこう。

連結固定式履帯の組み立てポイントは、最後に連結する箇所に垣間が生じないようにすること。どの箇所から組み立て、どの順番で接着するかを確認しておこう。

転輪に履帯を接着。下の写真は、転輪と履帯が完全に乾いた(固着)後、転輪＆履帯をブロックごと取り外した状態。

被弾跡の再現

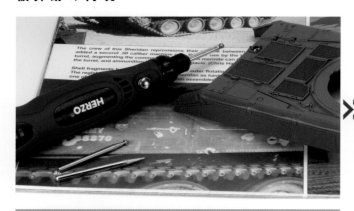

被弾跡の再現は、AFV模型をリアルに見せる加工の一つ。そのためには実車では、どのように跡が付くのか、実車写真などを見て、知っておくことが大切。

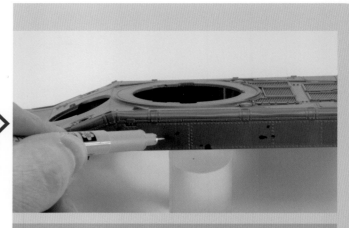

①まず、被弾跡を再現したい箇所にマーカーペンでアタリ（穴の大きさや形状など）を描く。

②実車の装甲厚（かなり薄い）に似せるために加工を施す箇所の裏側を削って薄くした。

③アタリに従い、カッターやドリルなどで開口、エグれを表現していく。最初は小さめに開口し、形状を見ながら徐々に形作っていく。

溶接跡の表現

作業はカッテングシートなどの上で行なう。まず、タルカムパウダー（いわゆるベビーパウダー）を用意。

パテがシートにくっ付かないように、シートにタルカムパウダーを付着させておく。

キットのパーツには溶接跡のモールドが施されているが、溶接跡をもっと目立たせたいので、タミヤのエポキシパテを使って表現する。

①適度な量のパテをカットし、練り合わせる。

②タルカムパウダーを敷いたシートの上で転がし、パテを細く伸ばしていく。

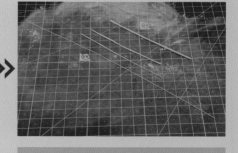

③場所によって溶接跡の幅を変えるために、太さを変えて伸ばしたパテを用意。

④接着剤（タミヤの流し込みタイプを使用）を使って、砲塔の上下パーツを接着する。

⑤溶接跡を再現したい箇所に、伸ばしたエポキシパテを付ける。

⑥カッターやドライバー、細いへらなどを使って、凹凸（刻み）を付けていく。

各部の溶接跡は、施工箇所によって太さを変えたエポキシパテを用いる。

ディテールアップを行なう

作例では、メッシュ部分などの再現にパッションモデルズのエッチングパーツ（品番P35-145）を使用している。

エッチングパーツなら、ダメージ加工も容易だ。エンジングリルのメッシュは、外れて曲がった感じに。

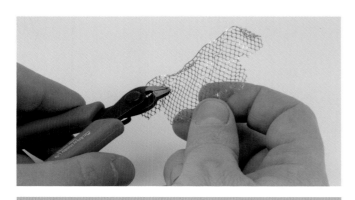

実車写真を見ると、車体前部のメッシュもダメージが大きい。曲げ加工に加え、ニッパーで部分的に切れた箇所も再現。

パテが半乾きになったら、毛先が短い筆で叩くようにして表面を粗し、鋳造感を出す。

防盾表面にシンナーで溶いたパテ（作例はサーフェイサーを使用）を塗り、鋳造の粗い質感を表現する。

溶接跡は、エポキシパテを使用。

エンジングリルにはエッチング製の
メッシュを接着。

小フックや取っ手は、銅線などを
使って作り直す。

排気管表面の錆のザラ付きもシン
ナーで溶いたパテで表現。

無数にある小フックを銅線で作り直すなど、さ
らに各部のディテールに手を加える。

組み立てを終えた車体。この後の塗装とウェザリ
ング作業を考慮し、まだ足周り、機関銃、ハッチ、
弾薬箱などの小パーツは接着していない。

市販アクセサリーパーツを使用

ベトナム戦争の記録写真を見ると、M551
に多くの荷物を積んでいる。作例ではレジェ
ンド社『M48A3 ベトナム戦争 積荷セット
II』(品番LF1269)のレジンパーツを使って
積荷を再現した。

ランナーやパーツ裏面に付いている不要な注
型部分などはカッターやホビー用の薄刃ノコを
使ってカット。

レジンパーツは不要部分が割と大きく、カットす
るのに難儀する。そういう場合は、リューター
の使用が便利。

ペーパーを掛けて綺麗に整形する。接着後に
見えない部分は、多少ラフでも構わない。

塗装とウェザリング

〔工程1〕塗装前の準備

エッチングパーツや銅線など金属部分にはメタルプライマーを塗った後、下地用のサーフェイサーを全体に吹く。サーフェイサーが乾いたら、模型表面の仕上がり（バリ、パーティングラインやペーパー掛けの傷跡、さらにパーツ間の隙間などがないかどうか）をしっかりチェックしておこう。塗装中に傷や隙間、凹みが見つかると、修正に手間が掛かってしまう。

〔工程2〕B&W技法でプレシェーディングを施す

M551シェリダンはアルミ装甲なので、それに対応した下地塗装を施しておく。車体側面は後の作業でメタルカラーを塗るので、この段階では側面全体にその下地色となるタミヤのアクリル塗料XF-1フラットブラックを吹き付けておく。

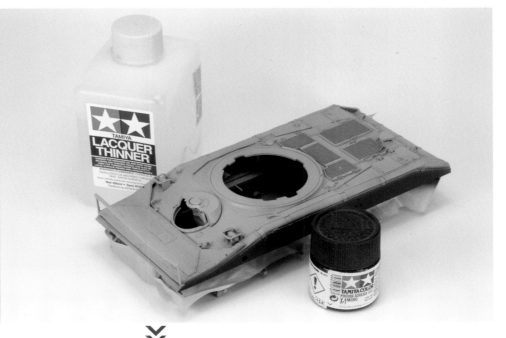

単色塗装では、単調にならないように各部・各面の色調に変化を付けることが大切。まず、ゼニタル・エフェクトを採り入れた下地塗装を施す。各面の色調に変化を付けやすくするために、自身が考案した"B&W（ブラック＆ホワイト）技法"を使用。
作例ではアモMIGの塗料セット『ブラック＆ホワイト』（品番A.MIG7128）の塗料を使った。

ディテールの周囲、パネルライン、
各エッジ部分に暗色を入れる。

車体側面はフラットブラックのまま。

作業①で使用したダークグレー。

B&W技法では、ホワイト〜ライトグレー〜ダークグレー
〜ブラックへと数段階に色調を変えた色を使用する。
①まず、塗装色にボリュームを付けるためのプレ
シェーディングとして、もっとも暗く調色したダークグ
レー（A.MIGの046マットブラック＋050マットホワイ
ト）をディテールやその周囲、パネルライン、各部の
エッジなどにエアブラシを使って細かく吹いていく。

ハイライトが入る上面の
平な箇所は明色のまま。

ダークグレーとサーフェイサーの
間にグレーを吹く。

②前作業で使用した
塗料にマットホワイトを
加え、色調を明るくし
たグレーを（前作業の）
ダークグレーとサーフェ
イサーの間をぼかすよ
うな感じに吹く。

作業②で使用した色調を明るくしたグレー。

明暗色間のコントラストを抑
え、グラデーションを付ける。

③さらにマットホワイト
を加えた明るいグレー
を使用。コントラストを
抑え、明暗色の間に
暗色〜明色へとグラ
デーションを付けるよう
に吹いた。

作業③のもっとも明るいグ
レー。

足周りにも①～③と同様にシェーディング塗装を行なう。

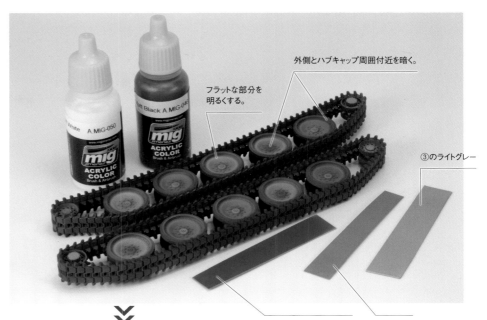

外側とハブキャップ周囲付近を暗く。

フラットな部分を明るくする。

③のライトグレー

①で使用したダークグレー

②のグレー

ハイライトを入れる箇所：ベンチレーターカバーやハッチの上面。

砲身の上部やサーチライトの上面。

各部分のエッジ上部。

④前作業よりももっと明るいライトグレーを使って、上面の周囲や砲身の上部、ハッチ、側面のエッジなどもっとも明るくしたい箇所にハイライトを入れる。

この作業④で使用したもっとも明るいライトグレー。

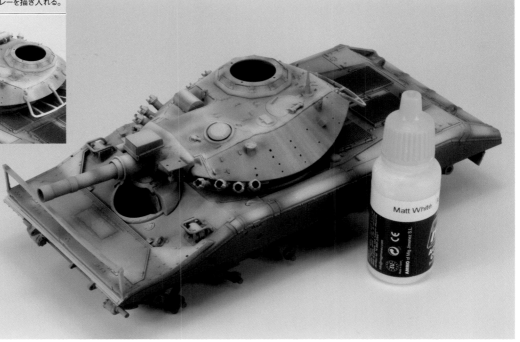

上から下に筋状のライトグレーを描き入れる。

⑤さらにこの段階で、ホワイトに近いライトグレーを用い、砲塔側面にプレウェザリングとして筋状の汚れの下地を作っておく。

〔工程３〕オリーブドラブの基本塗装を行なう

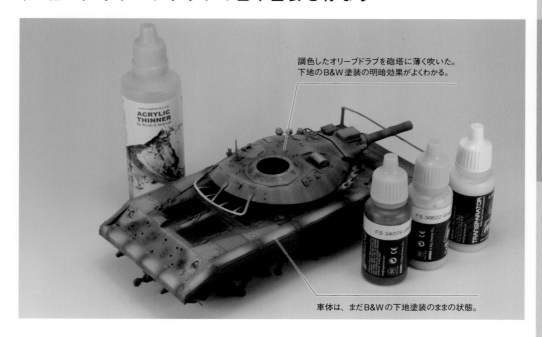

調色したオリーブドラブを砲塔に薄く吹いた。下地のB&W塗装の明暗効果がよくわかる。

基本色となるオリーブドラブは、アモMIGのFS34079グリーン（品番A.MIG0206）にFS36622グレー（A.MIG0226）を少量加えた塗料を使った。同塗料をシンナーで充分に希釈し、エアブラシで吹いていく。

車体は、まだB&Wの下地塗装のままの状態。

下地のB&W塗装の効果を活かすために、基本色オリーブドラブは薄く塗布する。

オリーブドラブ色を塗装する際に注意すべきことは、前工程で行なったB&Wの下地塗装が透けて見えるくらいに薄く塗布することである。一度に色付けするのではなく、色の乗り具合をチェックしながら、数回に分けて吹いていこう。

この段階では、車体側面はまだ下地塗装のままで構わない。

〔工程４〕被弾跡と塗料の剥がれ跡を再現

①車体側面以外に塗料が付かないように周囲にマスキングテープを貼っておく。まず、シンナーで希釈したアモMIGのメタルカラー、エアフレーム・アルミニウム（A.MIG-8215）をエアブラシを使って車体側面に塗布する。

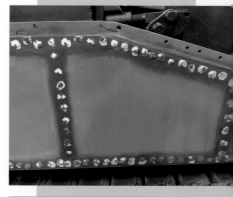

実車の車体右側後部。レストア中で車体色を塗布する前の状態。赤いプライマー塗装やシルバーのアルミ地肌が見えている箇所に注目。

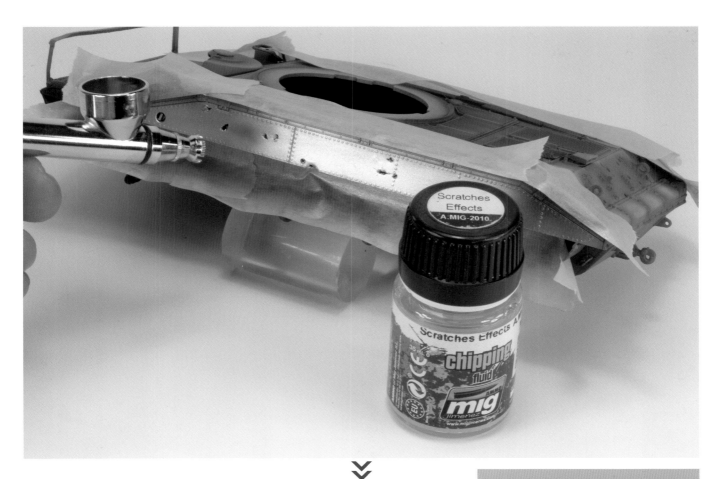

②被弾跡や傷などはヘアスプレー技法を用いて行なう。メタルカラーが完全に乾いた後、塗料剥がれを簡単に表現できる専用液、アモMIG『チッピング・フルーイド』のスクラッチス・エフェクト（A.MIG-2010）を車体側面に薄く吹いた。

③塗料剥がし液スクラッチス・エフェクトが乾いて（30分くらい）から車体側面にも基本色のオリーブドラブを薄く塗布する。
④15分ほど経ってから、爪楊枝などを使ってチッピング（塗料剥がし）作業を開始。被弾跡（開口部）の周囲の色を剥がしたり、横方向の擦り傷を表現していく。

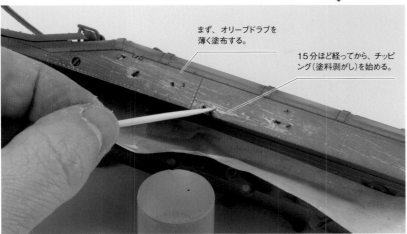

まず、オリーブドラブを薄く塗布する。

15分ほど経ってから、チッピング（塗料剥がし）を始める。

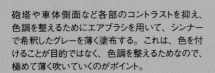

砲塔や車体側面など各部のコントラストを抑え、色調を整えるためにエアブラシを用いて、シンナーで希釈したグレーを薄く塗布する。これは、色を付けることが目的ではなく、色調を整えるためなので、極めて薄く吹いていくのがポイント。

〔工程 5〕 シェーディングとカラーモジュレーションなど

車体および砲塔は、B&W
技法を用いて塗装している。

車体側面の被弾跡や擦り傷は、ヘアス
プレー技法を用いた。

上面の平なところは明るく。

ディテールの周囲に影付け。

奥まったところも影を付け暗くする。

ここまでの塗装作業を終えた状態。
B&W技法を用いれば、カラーモジュレー
ション、ゼニタル・エフェクトのような色
調の変化付けや色彩のボリューム感を
簡単に表現することができる。

さらにシェーディング（影付け）により各部の陰影を強調す
る。この作業にはアモMIGのシェーダーを使った。この
専用塗料は、失敗しても水を浸した平筆などで容易に色
を落とすことが可能。ただし、乾くのが早い（15分くらい）
ので要注意。
①まず、充分に希釈したアッシュブラック（A.MIG-0858）
を凹部や影になる部分にエアブラシを使って極薄く塗布。

②次にカラーモジュレーション。明るくしたい箇所に
ダークグリーン（A.MIG-0866）を、さらに明るくした
い箇所にはイエロー（A.MIG-0867）を吹き、色調
に立体感を出す。

オリーブドラブの中間色

明るいハイライト色を入れた箇所

暗くした箇所

シェーディングとカラーモジュレーションを行なった状態。14ページの上の写真と比べると、さらに色彩が豊かになり、また各部のボリューム感も増していることがわかる。

③アモMIGのFS36622グレー＋FS34079ダークグリーンを混ぜて作った明色を使って、ディテールにハイライトを加える。細筆を使って、小ハッチやリベットなど各部のディテール上面、さらにエッジ部分などを塗り、部分的に明度を上げる。

部分的にハイライトを強調し、基本塗装は完了。

各部のエッジにハイライトを入れ、メリハリを付ける。

各ディテールの上面にハイライトを入れる。

小さなディテールの上部にもハイライトを加える。

〔工程 6〕 履帯の塗装

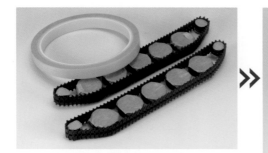

まず、塗料が付着しないように転輪、起動輪、誘導輪をマスキングする。履帯は錆色で塗装。作例では、アモMIGのイエロー（A.MIG-048）、レッド（A.MIG-049）、オレンジ（A.MIG-129）、レッドプライマー・ライトベース（A.MIG-921）、レッドプライマー・ハイライト（A.MIG-922）を混色した塗料を使った。

①同じ色を均一に塗るのではなく、部分的に色調を変えながら塗装していく。

②履帯のラバーパッド部分をマットブラック（A.MIG-046）＋マットホワイト（A.MIG-050）を混ぜたダークグレーで塗装。

③履帯のガイドホーンは、スチール（A.MIG-191）で塗り、転輪と擦れて摩耗した感じにする。

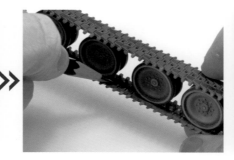

④転輪との接触跡は、鉛筆（黒鉛）で表現した。

M551シェリダン実車の履帯。錆びた金属部分と劣化したラバーパッドの状態がわかる。模型では、さらに土や泥の汚れなどを追加する必要がある。

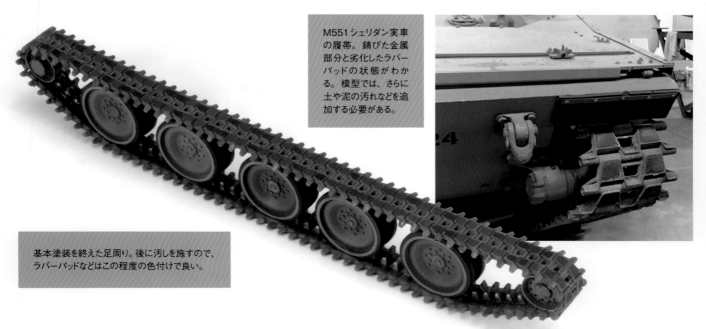

基本塗装を終えた足周り。後に汚しを施すので、ラバーパッドなどはこの程度の色付けで良い。

〔工程 7〕チッピングを施す

①まずはスクラッチ（浅い擦り傷）から。アモMIGの
FS34079ダークグリーン＋FS36622グレーを調色
した塗料を使用。ベース色より明るい色調の色で擦
り傷を表現する。

スクラッチを入れる箇所1
各部のエッジや突起物周辺。

スクラッチは、エッジ
部分や突起物の周囲
や角、木などの障
害物と接触する車体
や砲塔側面、乗員な
どが頻繁に触れたり、
踏んだりする箇所など
に施す。

スクラッチを入れる箇所2
障害物と接触し、擦れる箇所。

スクラッチを入れる箇所3
乗員が触れたり、踏んだりする箇所。

②次は塗料が剥がれ、装甲板の地肌が見えている
箇所を表現。M551はアルミ装甲なので、メタルカ
ラーのシルバー（A.MIG-195）を使用。

明部、暗部のベース色によっ
てスクラッチの色も変える。

細かい斑点状の傷は、スポ
ンジを使って表現している。

チッピングを終えた状
態。ベース色は明部
と暗部で色調を変えて
いるので、チッピング
も各部分のベース色
によって色調を変えた
明色を使用。筋状の
傷は細筆、細かな斑
点状の傷はスポンジを
使って表現した。

筋状の擦り傷は、細筆を
使って表現。

装甲のアルミ地肌が露出してい
る箇所はシルバーで傷を表現。

〔工程 8〕スミ入れ（ピン・ウォッシング）を行なう

ディテールや突起物の周囲、凹凸部分、パネルラインなどにスミ入れを行なう。スミ入れは、各部のディテールなどを引き立たせ、模型完成時の見栄えを良くする効果的な手法で、塗装作業では不可欠。
この作業には、アモMIGのウォッシング専用液、スリーミィ・グライムダーク（A.MIG-1410）とNATOカモフラージュ・ウォッシュ（A.MIG-1008）を混ぜたものを使用。スミ入れも場所によって、色調や濃度を変えること。

シンナーを浸した平筆で、余分なスミ色を拭き取る。場所や形状によって筆を運ぶ方向にも気を配ること。

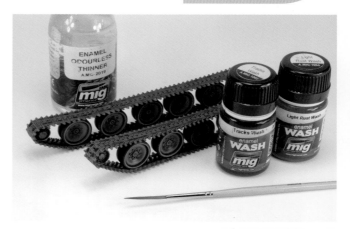

足周りのウォッシングにもアモMIGの専用液を使用。トラック・ウォッシュ（A.MIG-1002）とライトラスト・ウォッシュ（A.MIG-1004）を適度に混ぜてウォッシングを行なった。

〔工程 9〕デカールを貼る

デカールはキット付属のものを使用。デカールを貼る手順は
①使用するデカールを切り出す。
②デカールの余白をカットする。
③シルバリングを防ぐためにデカールを貼り付ける箇所にシンナーで希釈したグロスバーニシュ（タミヤアクリルのX-22クリヤーあるいはGSIクレオスMr.カラーのC46クリアーなど）を吹く。
④デカールを貼る。この作業ではデカール用軟化・定着液を使って、デカールを密着させること。
⑤デカールを充分に乾かせた後、デカールを保護するために、つや消しクリアーなどをデカールの表面に吹いておく。

写真のように開口部（および凹凸部分）にデカールを貼る際は、まず穴に掛かる部分のデカールをカッターとピンセットを使って取り除く。

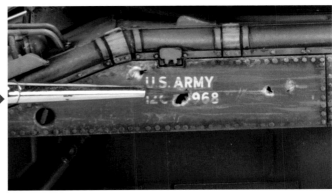

デカール用の軟化・定着液を塗り、凹凸がある穴の周囲にしっかりと密着させる。

〔工程10〕装備品や細部の塗装

車載工具の柄などの木部は、タミヤアクリルのXF-59デザートイエローを下地色として塗装。

XF-59にXF-2フラットホワイトを少量混ぜた色を部分的に吹き、色調の変化とボリューム感を出す。

部分的に錆色が付くような感じで塗布していく。

車体前部のメッシュガードのフレームは錆びた状態に。アモMIGのレッドプライマー・ライトベース（A.MIG-921）＋オレンジ（A.MIG-129）の混色をシンナーで充分に希釈し、フレームに筆塗りした。

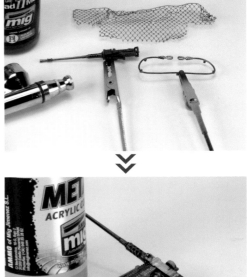

機関銃、牽引ケーブル、メッシュなどの金属部分は、ベース色としてアモMIGメタルカラーのスチールALC112（A.MIG-8213）を使用（上写真）。シルバーで金属表面が擦れた感じを出し、また機関銃の弾薬はブラス（A.MIG-197）で塗った。

車載工具は、金属と木部の質感表現がポイント。チッピングや汚しを加え、リアルな感じに塗装。

サーチライトのキャンバスカバーは、B&W技法で下地塗装を行ない（左写真）。その上にバフ系カラーを薄く塗布し、仕上げた（右写真）。

積荷のバックパックや雑嚢などもB&W技法でシェーディングを施す。

タミヤアクリルのXF-49カーキ、XF-73濃緑色（陸上自衛隊）などの混色で塗装。上部を明るく、下部や凹んだ部分は暗くする。

ストラップなどは、XF-76灰緑色（日本海軍）を混ぜた色で塗装。さらにXF-5バフやXF-2フラットホワイトでハイライトを入れた。

車長用視察窓や操縦手ハッチのペリスコープは、アモMIGのクリスタルグリーン（A.MIG-096）で塗装。

さらに透明感を出すためにタミヤアクリルのX-22クリヤーを塗布した。

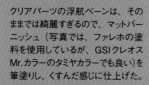

クリアパーツの浮航ベーンは、そのままでは綺麗すぎるので、マットバーニッシュ（写真では、ファレホの塗料を使用しているが、GSIクレオスMr.カラーのタミヤカラーでも良い）を筆塗りし、くすんだ感じに仕上げた。

〔工程11〕土、泥汚れを加える

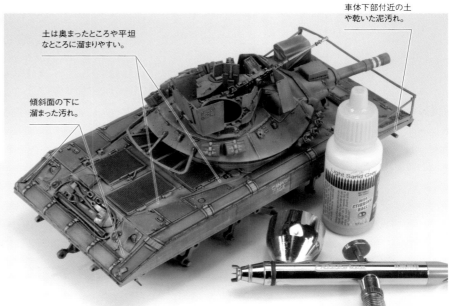

土は奥まったところや平坦なところに溜まりやすい。

車体下部付近の土や乾いた泥汚れ。

傾斜面の下に溜まった汚れ。

車体や砲塔に付着した土の汚れを表現。土や砂が溜まるところは平坦なところや凹み、隅、車体下部付近である。
①塗料を乗せたくない箇所をマスキングした後（右上写真）、エアブラシを使って約40％希釈したアモMIGのライトサンドグレー（A.MIG-067）を薄く吹く。

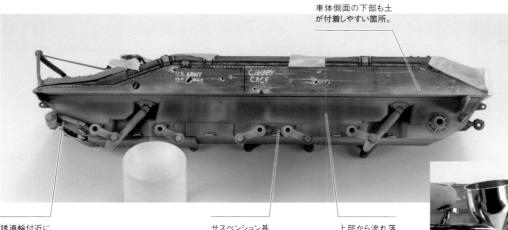

車体側面の下部も土が付着しやすい箇所。

②車体側面下部の汚しは、足周りパーツを取り外して行なった。下部の汚しも希釈したライトサンドグレーをエアブラシで吹いて行なう。土が付着しやすいところは、起動輪や誘導輪の基部、サスペンション付近、下部側面の上部など。

誘導輪付近に溜まった土。

サスペンション基部付近の汚れ。

上部から流れ落ちた土汚れ。

③固まった土や泥の汚れは、ジオラマ用のテクスチャーで表現。作例は、アモMIG『アクリル・マッド』のアリドゥ・ドライグランド（A.MIG-2100）とライトアース・グランド（A.MIG-2102）を適度に混ぜて使用した。場所によってザラ付き、粒の大きさ、色（乾いた泥、湿った泥）など、変化を付けている。もちろん、タミヤやGSIクレオスの同種製品を用いても同様の効果を得ることができる。

④車輪に付着した土、泥の汚れは、アモMIGのエアブラシ用ステンシル・テクスチャーテンプレート（A.MIG-8035）を使用。テンプレートを模型に当てて、エアブラシで塗料を薄く吹けば、細かな斑状の汚れを表現できるスグレものだ。

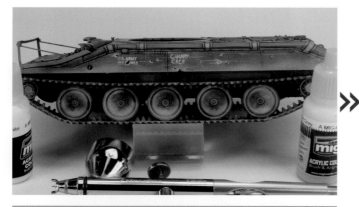

⑤ライトサンドグレーの汚し塗装が乾いてから、塗膜を保護するために一旦、マットバーニッシュを塗布しておく。

⑥マットバーニッシュが完全に乾いた後、土、砂汚れを施した箇所をウォッシングし、ディテールを浮き立たせる。ウォッシングにはアモMIGのウォッシング専用液、スターシップ・ウォッシュ（A.MIG-1009）＋アフリカコープス・ウォッシュ（A.MIG-1001）を混ぜたものを使用。

⑦砲塔上面の突起物やディテール周囲に付着した土、泥の汚れをアモMIG『ネイチャー・エフェクト』のライトダスト（A.MIG-1401）を使って表現する。

⑧アモMIGのペンタイプ油絵具『オイルブラッシャー』のバフ（A.MIG-3517）とダークマッド（A.MIG-3508）を使って、上から下に流れ落ちた土、泥などの筋状の汚れを表現する。

⑨グリースやオイル、溢れた燃料などの汚れは、エアブラシ用ステンシル・テクスチャーテンプレートを使用し、ダークカラーの塗料（作例ではアモMIG『シェーダー』のスターシップ・フィルスを使用）を吹いて行なう。

ターレットリングの周辺や機関室上にグリースやオイル、溢れた燃料などの染み跡、さらに煤汚れを表現した。

〔工程12〕仕上げ作業

車体前部のメッシュは0.2mm径の銅線を使って固定。銅線は柔らかいので、こうした作業に最適な素材。

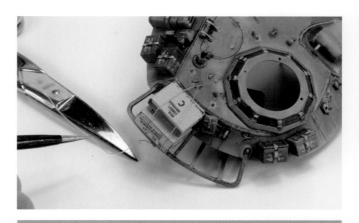

砲塔砲部のラックには紙箱を紐で固定。紙箱はFCモデルチップスの製品（品番35336）を使っている。

車体前部のメッシュにはダメージ加工を施し、メッシュのフレームには錆を表現するなど、現地部隊装備らしさを出した。

錆び付いた予備履帯、車体上面に溜まった土、浮航ベーンの汚れた視認窓など、リアルな感じに仕上げている。

車長用ハッチの防弾板は、ベトナム戦ではお馴染みの追加装備。作例は、防弾板の内側にヌード・ピンナップ、ラジカセを配し、よりベトナム戦争らしさを演出。

オリーブドラブ単色という単調になりがちな塗装もB&W技法を用いることによって、ゼニタル・エフェクトやカラーモジュレーションを上手く採り入れることができる。

砲塔には、所狭しと装備品、積荷を配置。こうした小物一つ一つも丁寧に塗装＆ウェザリングを行なうことで、完成後の見栄えがアップする。

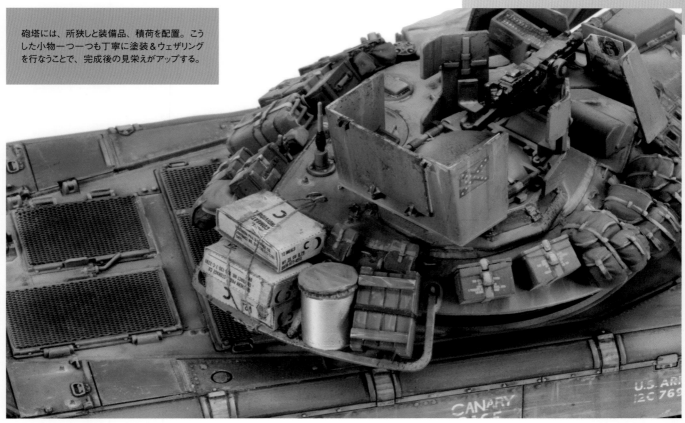

フラットな機関室は、もっとも汚れが目立つ場所の一つ。溢れた燃料やオイル、グリースの染み、さらにエンジングリルの煤汚れ、排気管の錆汚れなどを表現している。

足周りの汚し方は、戦域によって異なる。作例はベトナム戦争なので、乾いた土、湿った泥などの汚れを表現した。

冷戦時代のハイテク戦闘車両をヨーロッパ冬季の白色迷彩に

GEPALD
FLAKPANZER

ゲパルト対空戦車
─────── 1970年代後期　西ドイツ軍 ───────

AFVの迷彩塗装として代表的なものの一つが、冬季に施される白い迷彩塗装である。ここでは、オリーブドラブ単色迷彩の上にリアルな冬季迷彩を施す方法を解説。この白色冬季迷彩は、作例のゲパルト対空戦車に限らず、その他多くのNATO軍、さらにベース色は異なれど、ワルシャワ条約機構軍、陸上自衛隊車両の冬季塗装としても適用可能だ。

ゲパルト対空自走砲A1／A2 2 in 1（品番TK02044）
●タコム1/35　●9130円、発売中　●プラスチックキット

ゲパルト対空戦車とは？

冷戦時代、ワルシャワ条約機構軍の地上兵力は、NATO軍（1982年当時、NATO軍とワルシャワ条約機構軍のAFV保有数は、前者50000両に対し、後者は145000両）を圧倒していました。さらにNATO地上部隊は7200機以上ものワルシャワ条約機構軍地上攻撃機（MiG-27フロッガーやSu-17／22フィッター、さらに機甲部隊にとってはもっとも厄介な相手Mi-24ハインドなど）からの攻撃にも対処しなければならなかったのです。

特に当時、東西両陣営対峙の最前線に位置し、もし戦争勃発になると自国が戦場になってしまう西ドイツにとっては、敵戦車のみならず、敵の攻撃機への対抗手段も講じる必要がありました。そこで、西ドイツは1966年にそれまで使用していた旧式のアメリカ製M42ダスターに替わる新型の対空戦車の開発に着手。1973年にゲパルトを制式採用しました。

ゲパルトは、西ドイツ軍のMBT、レオパルト1の改良車体をベースとし、旋回砲塔の左右にエリコン社製35mm対空機関砲KDAを各1門備え、コンピューター制御の高度なFCSとレーダー（砲塔の後上部に捜索レーダー、前面に追尾レーダー）を搭載しています。KDAは、最大有効射程5500m、初速1400m／秒、1門あたりの発射速度550発／分）の性能を有していました。

ゲパルト対空戦は、1976年から西ドイツ軍への配備が始まり、1980年までに420両量産されました。ゲパルト対空戦車は、部隊配備後もFCSなどの改良や装備の追加などが実施され、西ドイツ軍では2010年まで運用され、また、オランダ（現在は退役）、ベルギー、ルーマニア、チリ、ヨルダン、カタールの各国軍でも採用されています。

ゲパルト対空戦車の傑作キット

ゲパルト対空戦車の1/35キットは、タミヤ、タコム、モンモデルからリリースされています。作例は、タコムのキットを使用しました。同キットは、パーツの精度と再現性が極めて高く、組み立て説明書どおりに作業を行なえば、何の問題もなく完成させることができます。履帯はリアルなプラ製連結可動式で、さらにキットにはディテールを再現するエッチングパーツも同梱され

ています。敢えて別売りのパーツ類を使用する必要性はないと判断し、作例は箱の中のパーツのみを使って製作。パーツ選択により初期型A1と後期型A2を製作できるようになっていますが、冷戦時代の車両ということで、A1型として組み立てました。

白色冬季迷彩は"ヘアスプレー技法"で

基本色の上に白色塗料を塗布した迷彩は、第二次大戦から、冬季の降雪地帯で活動するAFVによく見られる塗装です。冷戦時代の西ドイツ軍車両も冬季の演習時などには白色の冬季迷彩が施されていました。

基本塗装の前にサーフェイサーを吹いた後、フラットブラックを用いたプレシェーディング、そしてベース色となるオリーブドラブを塗布しています。冬季迷彩車両の再現には、色々な手法が用いられていますが、ここでは、ベース色の上に白色塗料を塗布し、部分的に剥がしていくヘアスプレー技法を使って再現しました。

各部の組み立て方法やディテール、塗装とウェザリング方法については、写真で詳しく解説します。

組み立て上のポイント

エッチングパーツの加工

タコムのキットにはディテール再現用のエッチングパーツが付属している。

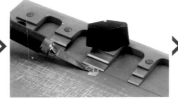

エッチングパーツの曲げ加工には、専用工具のエッチングベンダーがあると便利。

エッチングベンダーを使用すれば、写真のような小パーツでも正確、かつ綺麗に曲げ加工ができる。

このキットの履帯も近年一般化したプラ製連結式だ。連結式はディテールの再現度が高く、塗装も容易だが、組み立てが面倒なのがネック。まず、接地部分と上部を作り、転輪に装着。その後に起動輪、誘導輪周りを組んでいくと割と上手くできる。

組み立てを終えた状態。タコムのキットは、パーツ精度が高く、ディテールの再現度も申し分なし。市販のアフターパーツを使用せずとも充分な出来である。

塗装とウェザリング

〔工程1〕塗装前の準備

エッチングパーツは、メタルプライマーや塗料の食い付きを良くするために表面を軽くペーパー掛けする。サーフェイサー塗布前にエッチングパーツには必ずメタルプライマーを塗っておこう。

全体にサーフェイサーを吹き、模型表面の傷や整形処理の跡、パーツの隙間などの有無をチェック。

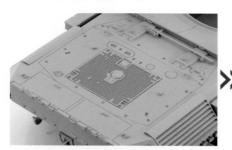

目の細かなメッシュパーツなどにサーフェイサーが詰まるというのはよくあること。

こうした場合は、針やピンの先で詰まったサーフェイサーを取り除く。

目詰まりを解消したメッシュパーツ。初期作業の修正を怠ると、後の工程で難儀することも。

〔工程2〕下地塗装を施す

①まず、全体にブラックを塗布する。作例では、アモMIGのマットブラック（品番A.MIG-046）をシンナーで30%希釈し、エアブラシで薄く吹いていった。

②1回の塗布で完全なブラックになるように吹き続けると、塗料溜まりができ、ディテールや凹部が埋まってしまう恐れがあるため、塗料は、数回掛けて薄く塗り重ねるように色を乗せていく。

③数回の塗り重ねで、100%つや消しブラックのベースができ上がる。

④この段階で、足周りの汚し塗装も施しておく。ここでは、マットブラックとアース（A.MIG-073）を混ぜたアースカラー（土色）を使用。シンナーで希釈した塗料を薄く少しずつ塗布していく。

⑤数回塗布し、足周りの汚し塗装が完了。色の付き方をチェックしながら、少しずつ塗料を吹いていく。

29

〔工程 3〕 基本色の塗装を行なう

冷戦時代の西ドイツ軍標準塗装は、オリーブドラブ（RAL6014ゲルプオリーフ）の単色塗装である。作例では、GSIクレオスの水性ホビーカラー、H78オリーブドラブ（2）を使用している。
①基本色の塗装も希釈した塗料を数回にわたって塗布していく。

砲塔はオリーブドラブを吹いていない状態。

車体は最初の塗布を行なった状態。1回目はこんな感じで。

②ディテールの周囲や影になる部分、奥まったところに下地のブラックが薄く残るような感じで、オリーブドラブを塗布していく。なお、車体側面下部および足周りには塗布しない。

各部の上面およびエッジなどにハイライトを入れる。

③オリーブドラブにタミヤアクリルのXF-21スカイを少量加えた色を上面のフラットなところや各部の上部付近、エッジなどに吹き、ハイライトを入れる。

足周りおよび車体側面下部は、オリーブドラブを塗布せず、ブラックの影色＋アースカラーのままの状態。

白色の冬季迷彩は、ヘアスプレー技法を使用。車体および砲塔にはチッピングやダスティング、さらに油彩によるフィルタリングなどを行ない、冬季演習中の汚れた雰囲気を再現した。

車体後部の機関室上面も汚れが激しい箇所。ここは、スクラッチ（浅い擦り傷）やチッピング（装甲板が露出した深い傷）に加え、溜まった土、オイルやグリースの染みなども表現する。

冷戦時代後期米軍戦車の4色迷彩を再現

M60A3 TTS
MAIN BATTLE TANK

M60A3 TTS 主力戦車
1980年代　西ドイツ駐留アメリカ軍

第二次大戦から戦後にかけて、アメリカ軍の標準塗装は、オリーブドラブの単色塗装だったが、冷戦時代の1970〜1980年代に4色迷彩が制式化された。アメリカ軍が採用した4色迷彩には、いくつかのパターンがあったが、ここではMERDC（Mobility Equipment Research & Design Command）と呼ばれる4色迷彩の再現を例に迷彩塗装の方法を解説する。

M60A1ブレーザー装着型 イスラエル国防軍主力戦車（品番1358）
●アカデミー 1/35　●プラスチックキット

アカデミーのM60A1をレジェンドのM60A1／A3用ディテールアップ・セットなどを用いてA3 TTSに改造。さらにプラ材や金属線などを用いてディテールアップも行なった。

〔工程 6〕 スミ入れを行なう

ここまでの塗装を保護するためにアモMIGのラッキーバーニッシュ・サテン（A.MIG-2056）を全体に塗布した。

油彩を使ったスミ入れには、レンブラントのオリーブドラブとローアンバー、ウィンザー＆ニュートンのブラックを使った。

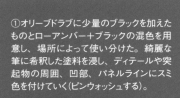

①オリーブドラブに少量のブラックを加えたものとローアンバー＋ブラックの混色を用意し、場所によって使い分けた。綺麗な筆に希釈した塗料を浸し、ディテールや突起物の周囲、凹部、パネルラインにスミ色を付けていく（ピンウォッシュする）。

②10〜15分くらい経ってから、シンナーを浸した綿棒を使って、余分なスミを取り除く。

ここまでの塗装＆ウェザリングを終えた状態。ここからさらにフィルタリング、細部の汚し、足周りの泥汚しを行ない仕上げていく。

〔工程 7〕 油彩を使ったフィルタリング

フィルタリングは、色調の変化を付けるとともに明暗の強調、さらに全体的に退色した感じも出すことができる。フィルタリングでは、一般に油彩が用いられているが、ここではアモMIGの専用剤オイルブラッシャーのイエロー（A.MIG-3502）、スカイブルー（A.MIG-3528）、レッド（A.MIG-3503）、フィールドグリーン（A.MIG-3506）、ダスト（A.MIG-3516）、オーカー（A.MIG-3515）、メカダークグリーン（A.MIG-3531）、メカライトグリーン（A.MIG-3529）、ホワイト（A.MIG-3501）、さらにストリーキングブラッシャーのラスト（A.MIG-1254）、ウォームダーティーグレー（A.MIG-1257）を使用した。

①シンナーで模型表面を濡らした後、色を点付けしていく。ベース色によって点付けする色を変える。また明るくしたい箇所には明色を、暗くしたい箇所には暗色を多めに付けると、"ゼニタルエフェクト"の効果を出すことができる。

AFV模型で重要なのは、足周りの汚し方。製作時に想定する時期、活動場所に応じた汚し方が必要になる。

車体後部の機関室や車体後面は、汚れが激しい箇所の一つ。土や泥の汚れに加え、排気による煤汚れ、グリースやオイルによる染みの跡なども表現する。

珍しいブルーグレー色の南レバノン軍戦車を再現

TIRAN 4
SOUTH LEBANESE'S TANK

ティラン 4

―――――― 1982 年　レバノン内戦　南レバノン軍 ――――――

中東といえば、砂漠あるいは乾燥した平原地帯というイメージを持たれがちだ。実際に同地域で使用されるAFVは、そうした地勢に適応したサンドあるいはデザートカラーの単色塗装を施した車両が多い。しかし、レバノン紛争において南レバノン軍が使用した元イスラエル軍車両のティラン4にはブルーグレー（ライトブルー）の塗装が施されていた。ここでは、その珍しい塗装を再現する。

IDF ティラン4 中戦車（品番 TKO2051）
●タコム 1/35　●7150円　発売中　●プラスチックキット

T-54／55とイスラエル軍ティラン4

"古今東西、最も多く作られた戦車は何？"それは、ソ連のT-54／55です。その数、なんと100000両！。T-54は1947年に量産型が完成し、改良型のT-55は1958年に登場、1970年代末まで量産されました。

T-54／55シリーズは、これまで幾度となく改良が施され、派生型も数多く造られています。T-54／55は、ソ連を始め、数え切れないほどの多くの国で使用されており、現在でも運用している国はかなりの数に登ります。T-54／55は、それこそありとあらゆる戦争・紛争・内戦等で使用されてきました。

紛争が絶えない中東でもアラブ陣営の主力戦車として多用されています。また、第三次中東戦争では、敵側のイスラエル軍に多数のT-54／55が鹵獲されました。戦闘車両不足だった同軍は、それら鹵獲したT-54をティラン1、T-55をティラン2と命名し、自軍部隊に配備しました。さらにイスラエル軍は自軍での運用に適するように、主砲と車載機関銃を西側仕様に変更（主砲はL7 105mm戦車砲に換装、砲塔上にM2 12.7mm機関銃とM1919 7.62mm機関銃を装備）し、それに伴い照準器の換装、ハッチの改良などを実施しました。

改修後のティラン1はティラン4に、ティラン2はティラン5に改称され、イスラエル軍では1968年から1982年の"ガリラヤの平和作戦"まで使用されています。また、ティラン4／5は、南レバノン軍やイラン・イラク戦争時のイランに供与された他、ウルグアイにも輸出されました。

ティラン4のキットを作る

ティラン4の1/35キットは、タコムとミニアートから発売されていますが、作例はタコム製を使用。このキットは、非常によくできており、各部の寸法は正確で、ディテールの再現度は高く、

パーツの精度なども問題ありません。製作に際しては、プラ材と金属線を使用し、ディテールを追加。また、履帯はフリウルモデルのT-54／55／62用金属製連結式履帯（品番ATL-01）に変更しています。

ブルーグレー塗装の車体を再現する

ティラン4の標準塗装は、他のイスラエルAFVと同様にIDFグレーと呼ばれるデザートカラー塗装ですが、レバノン紛争時の1982年、イスラエル軍が南レバノン軍（South Lebanese Army）に供与した10両のティラン4は、南レバノン軍によってブルーグレー（ライトブルーに似た色で、SLAブルーとも呼ばれている）の塗料が上塗りされていました。

模型も同様に、まずベース色となるデザートカラー（IDFグレー）を塗り、その上にブルーグレーを塗っています。塗装前にサーフェイサーを吹いた後、ディテールや突起物の周囲、パネルライン、さらに車体下部側面にブラウンでシャドーを入れました。その後にベース色のサンドカラーを塗り、その上にブルーグレーを塗布していますが、上塗り塗装らしく見せるためにここでも"ヘアスプレー技法"を用いて、部分的にライトブルーの塗料剥がれを表現しています。

車体色を塗り終えた後にチッピング、ウォッシングを行ない、さらにディテールの塗装や砂、オイルなどの細かな汚れなどを加えていきました。細かな作業工程は写真解説をご覧ください。

組み立て上のポイント

ディテールアップを行なう

キットには各部に溶接跡のモールドが施されているが、カッターやケガキペンなどでモールドを強調した。

レバノン内戦の実車写真を見ると、転輪のゴムリムにダメージが見られる車両が多いので、作例でもペーパーやドレメルを使って、それを再現。

車体前部上面に付ける水切り板は、カッター等で木目を強調。さらにドリルを使って、被弾跡を表現した。

牽引ケーブルの固定具をプラバンで自作。さらにパイプ類を金属線で自作している。

金属線を加工して自作した。

フェンダーステーはキット付属のエッチングパーツ。

牽引ケーブル固定具をプラバンで自作。

金属製連結履帯の組み立て方

履帯は、フリウルモデルの金属製連結式履帯を使用。出来の良さもさることながら、自重により自然な弛みが表現でき、さらに激しいウェザリング作業でも破損の心配がない、まさに良いこと尽くめ。

①まず、最初に袋から出したら、表面の油分などを取り除くために、少なくとも24時間、洗浄液（石鹸水）に漬け込んでおく。

②表面に付着した洗浄液、油分などを水で完全に洗い流し、乾かせる。

③連結用の針金がしっかりと差し込めるようにピンバイスのドリルを使って、穴の通りを良くする。ただし、穴が大きくなり、針金が抜けやすくならないように注意。

④連結穴に針金を通して2枚の履板を連結していく。

⑤突き出た部分の針金をニッパーでカットする。針金が抜けやすい箇所は、差し込み口のみに瞬間接着剤を点付けする。

⑥同様の作業を繰り返し、履帯を連結していくが、後の塗装、ウェザリング作業を考慮して、車体には装着せずに帯状のままにしておいた。

⑦ここで金属履帯を自然な錆びた感じに仕上げることができる便利な専用剤、アモMIGの金属履帯用染め液（A.MIG-2020）を使用。

⑧連結した金属履帯をアモMIGの染め液に漬け込んでおく。

⑨金属履帯が黒く適度に染まったら、染め液の中から取り出す。

⑩表面を綺麗に拭き取ると、こんな感じに仕上がる。

塗装とウェザリング

〔工程1〕下地塗装を施す

①砲身やエッチングパーツ、自作した手摺り、フックなど金属部分にGSIクレオスのメタルプライマーを塗っておく。

②模型全体にサーフェイサーを塗布する。この段階で、模型表面の傷、整形処理忘れなどの有無をしっかりチェックしておくこと。

③ベース色となるサンドカラーに対応したプレシェーディングを行なう。エアブラシを使って、X-20溶剤で希釈したタミヤアクリルのXF-72茶色（陸上自衛隊）をパネルラインや各部のエッジ、ディテールの周囲、砲身などの下部、さらに車体下部側面に塗布した。

ディテールや各部の周囲、砲身下部にプレシェーディングを施す。

車体下部側面は全体にXF-72を塗布する。

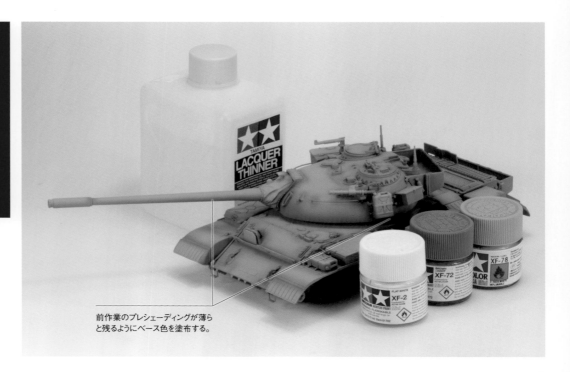

④ベースとなるイスラエル軍戦車の基本色IDFグレー（サンドカラー）を塗装する。この作業では、タミヤアクリルのXF-72茶色（陸上自衛隊）＋XF-78デッキタン＋XF-2フラットホワイトの混色を使用。X-20溶剤で充分に希釈し、エアブラシを使って、プレシェーディングのXF-72が薄らと残るような感じで塗布していく。

前作業のプレシェーディングが薄らと残るようにベース色を塗布する。

⑤各部の上部、エッジ部分にさらにXF-2フラットホワイトの割合を多くした色を極薄く吹き、ハイライトを入れる。

フラットホワイトを加えた明色でハイライトを入れる際は、充分に希釈した塗料を極薄く吹き、色の乗り具合を確認しながら、作業を行なうこと。

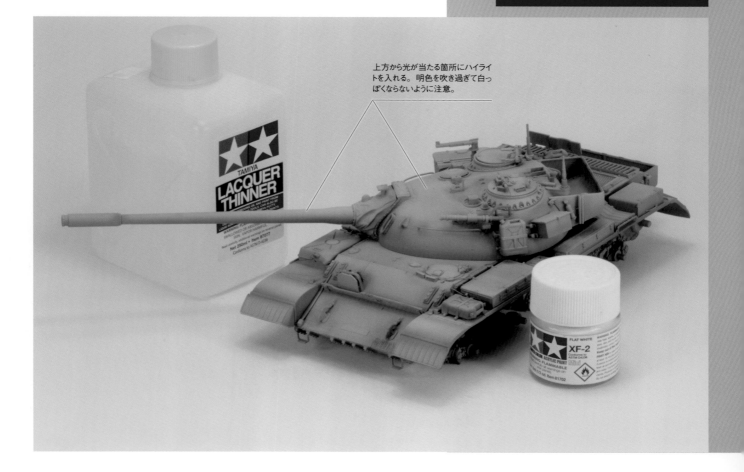

上方から光が当たる箇所にハイライトを入れる。明色を吹き過ぎて白っぽくならないように注意。

〔工程2〕車体色を塗装する

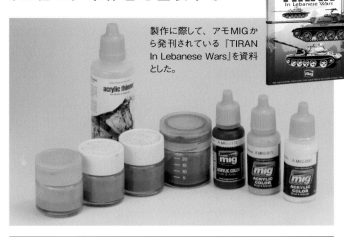

製作に際して、アモMIGから発刊されている『TIRAN In Lebanese Wars』を資料とした。

サンドカラーの上から塗装する南レバノン軍のSLAブルー（ブルーグレー）は、グレーシャイン（A.MIG-911）90%＋マリンブルー（A.MIG-123）5%＋サテンホワイト（A.MIG-047）5%で調色。

①同書の実車写真とカラープロファイルを元に塗料を調色し、さらにそれをベースにもっとも濃い（暗い）ブルー＝ブルー1〜もっとも明るいブルー＝ブルー4まで4段階に色調を変えた色を用意した。

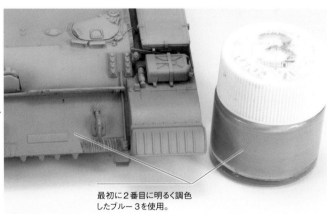

最初に2番目に明るく調色したブルー3を使用。

②SLAブルーを塗布した後、部分的に塗装が剥がれた感じを表現するために、ヘアスプレー技法を用いる。同色を塗布する前にアモMIGの塗料剥がれ表現液、チッピングフルーイドのスクラッチ・エフェクツ（A.MIG-2010）をサンドカラーの上に塗布しておく。

③SLAブルーは、一度に全体に吹かず、部分（ブロック）ごとに吹き、その都度、チッピング（塗料剥がし）を行なっていく。

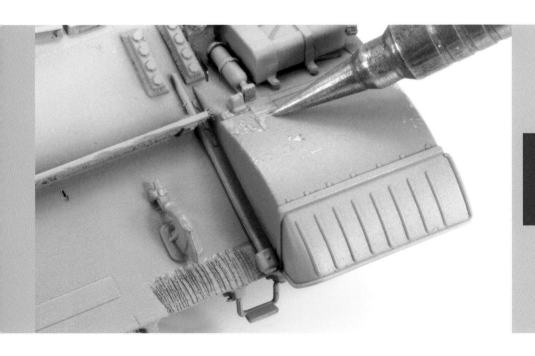

④最初にブルー3を塗布し、15分くらい経った後、爪楊枝など先が尖った物を使って、ブルーの塗料を剥がしていく。

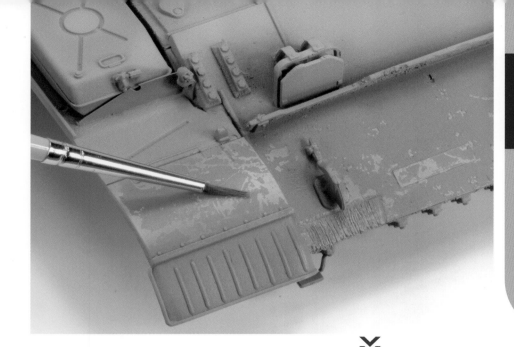

⑤場所によっては、チッピング表現に変化を付けるために筆を使って塗料を剥がす。

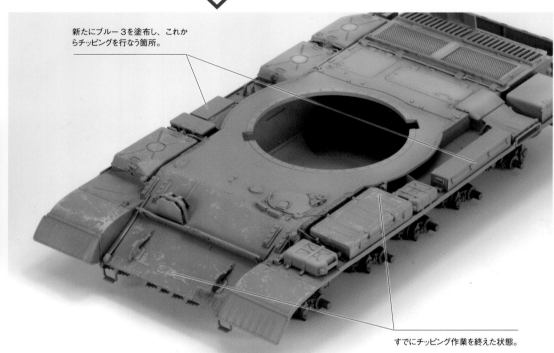

新たにブルー3を塗布し、これからチッピングを行なう箇所。

⑥車体前部のチッピングが完了したら、その後方〜車体中央部分辺りまでブルー3を吹く。

すでにチッピング作業を終えた状態。

⑦新しく塗布した箇所もチッピングを施していく。写真のようにチッピング作業にはスポンジも併用した。

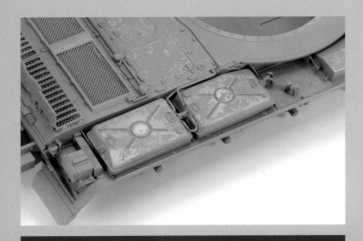

チッピング作業を終えた車体後部右側付近の状態。

同様にチッピング作業を終えた砲塔。

⑧24時間経ってから、2度目のチッピングを開始。今度は、チッピングフルーイドのヘビーチッピング・エフェクツ（A.MIG-2011）を塗布。この作業も部分ごとに施工していく。

⑨2度目は、もっとも濃いブルー1を（全体ではなく）一部のみに塗布し、1度目と同様にチッピングを施した。

⑩その後、同様の手順でブルー2とブルー4を使ったチッピング作業も繰り返し行なった。暗色ブルー1～明色ブルー4を入れる場所は、ベース色サンドカラーの明暗付けと同じ場所。

もっとも明るくしたい場所にブルー4を吹く。

2番目に暗い色のブルー2。

もっとも暗い（濃い）色のブルー1。

SLAブルーのベース色となるブルー3。

SLAブルーの車体色を塗り終えた状態。色調を変えた4種類のブルーを用いている。この時点では、表面の色調が整っておらず、まだゼニタル・エフェクトやカラーモジュレーションの効果は出ていない。

ディテールや突起物の上部にハイライトを入れた。

⑪塗布した箇所の各ベース色ブルーよりも明るい色を調色し、ディテールや突起物の上面／上部に細筆（必ず綺麗なものを使うこと）を使って、ハイライトを入れる。

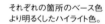

それぞれの箇所のベース色より明るくしたハイライト色。

ここまでの塗装を保護するために、ここで一旦、アモMIGのラッキーバーニッシュ・サテンを模型全体に吹いておく。もちろん、タミヤカラーやGSIクレオスMr.カラーなどの同種製品の使用でもOKだ。

〔工程3〕 転輪を塗装する

履帯と接触し、擦れる部分。

誘導輪の履帯接触面、起動輪のスプロケット（歯）は、金属が擦れた感じを出すためにアモMIGメタルカラーのスチール（A.MIG-0191）で塗る。

転輪のラバーリムは、明暗色調を変えたダークグレーで塗装した。

〔工程4〕 チッピングを施す

次は、塗料が剥がれ、装甲板の錆びた地肌が露出した状態＝チッピングを表現する。
①アモMIGのチッピング（A.MIG-044）を細筆（太さは0号）に付け、下地色サンドカラーが露出した箇所の内側にチッピングを入れていく。

サンドカラーの内側にチッピングを入れることで、立体感が出る。

②場所によっては平筆によるドライブラシやスポンジの点付けを行ない、斑点状の細かな剥がれ跡も表現。チッピングも変化を付け、単調にならないようにする。

〔工程5〕細部の塗装と汚し

塗装作業①のベース色。

塗装作業②の影付け。

塗装作業③のハイライト付け。

■主砲防盾カバーの塗装

防盾カバーは、単色塗装のこの戦車の割と目立つ箇所になっている。それゆえ、ここにもゼニタルエフェクトを採り入れた効果的な塗装を施す。塗料は、アモMIGのリアルIDFシナイグレー（A.MIG-131）、ライトサンドグレー（A.MIG-067）、マットブラック（A.MIG-0046）を使用。
①最初にベース色として、リアルIDFシナイグレー＋ライトサンドグレーの混色を塗布。
②膨らみの横や下側、影になる箇所にリアルIDFシナイグレー＋マットブラックの混色を塗り、影を付ける。
③最後にサンドグレーを膨らみの上部やエッジに塗り、ハイライトを入れた。

■エンジングリルの汚し

機関室上面エンジングリルのメッシュに汚れを加える。
①周囲に塗料が付かないようにマスキングを行なう。
②アモMIGのエアブラシ用ステンシル・テクスチャーテンプレート（A.MIG-8035）を当て、シンナーで希釈したアモMIGのマットブラックをエアブラシで薄く吹く。

③再度、その上にステンシル・テクスチャーテンプレートの形が異なる型穴部分を当て、前作業とは異なる濃さでマットブラックを塗布する。

④〔工程2〕で使用した、ブルー4を平筆に付け、メッシュ表面の一部をドライブラシし、リタッチする。

⑤このままの状態では、ブルーが不自然なので、再び、ステンシル・テクスチャーテンプレートを当て、アモMIGシェーダーのライトラスト（A.MIG-0851）、アッシュブラック（A.MIG-0858）を薄く吹いた。

■排気管カバーの錆表現

①排気管周囲に塗料が付着しないようにマスキング。
②アモMIGのライトラスト（A.MIG-039）、ミディアムラスト（A.MIG-040）、ダークラスト（A.MIG-041）を使用し、ベースとなる錆色をエアブラシで塗布する。

③ベース色を塗布した上にステンシル・テクスチャーテンプレートを当て、同色より少し明るく調色した錆色を吹く。

④再度、同テンプレートの違った型穴部分を当て、さらに明るくした錆色をエアブラシで拭いた。

⑤ここでもヘアスプレー技法を使う。排気管カバーにアモMIGチッピングフルーイドのスクラッチエフェクツを塗る。

⑥チッピングフルーイドが乾いたら、〔工程2〕で使用したブルー1を塗布。
⑦さらにテンプレートを当て、明色のブルー3を吹いた。

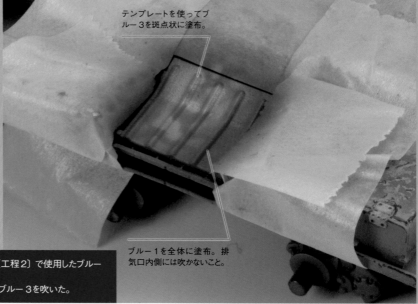

テンプレートを使ってブルー3を斑点状に塗布。

ブルー1を全体に塗布。排気口内側には吹かないこと。

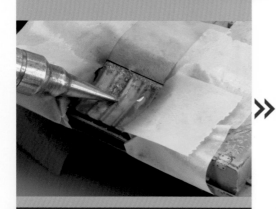

⑧チッピングを開始。爪楊枝など先が尖った物を使って、部分的に上塗りしたブルーを剥がしていく。

⑨チッピング作業を終えた後、テンプレートを当て、明るく調色した錆色を薄く吹いた。

■誘導輪の錆表現

誘導輪の外面（〔工程3でスチール塗装を施した部分〕）にテンプレートを当て、アモMIGシェイダーのオレンジ（A.MIG-0850）とアッシュブラック（A.MIG-0858）を混色した錆色を拭いた。

この後に油彩を用いたウォッシング、フィルタリングを行なうため、模型全体にアモMIGのラッキーバーニッシュ・サテンを塗布し、塗装表面を保護しておく。

〔工程6〕油彩を使ったウォッシング

■スミ入れを行なう

①シンナーで希釈した油彩のローアンバー（90%）＋ブラック（10%）の混色を細筆（綺麗なものを使用すること）にたっぷり浸し、ディテールや突起物の周囲、凹部、パネルラインに付けていく。
②10〜15分くらい経ったら、シンナーを浸した細めの平筆を使って、余分なスミを拭き取っていく。

■フィルタリングを行なう

フィルタリングには、ウィンザー＆ニュートンの油彩、ブラック、ホワイト、セルーリアンブルーを使用。

①フェンダー上面の平なところや前面装甲板の上部はホワイト、影になる部分はブラック、セルーリアンブルーの油彩を点付する。基本的に上部は明色、下に行くにつれ暗色を加えていく。

傾斜面は、上から下に筆を動かせて、油彩を伸ばしていく。

② 数分後にシンナーを浸した平筆を使って、薄らと色が残るような感じで油彩を伸ばしていく。

③操縦手用ハッチおよびその周辺は、乗員が頻繁に触れたり、乗り降りするために汚れが目立つ。黒ずんだ汚れを表現するために希釈したブラックの油彩を点付けする。
④その後、他と同様にシンナーを浸した筆で色を伸ばしていくが、乗員がどこに触れるかなどを考えながら、色を付けるのが大事。

車体は南レバノン軍のSLAブルー塗装を再現。元のベース色IDFグレーが所々に露出した状態を表現するためにヘアスプレー技法を使って行なっている。

乗員が乗り降りする際に触れたり、靴で踏んだりするところ、特に砲塔上面のハッチおよびその周囲、手摺り、凸部やエッジなどにはチッピングを多めに。

このティラン4は、レバノン内戦で使用されていた車両を再現しているので、チッピング、汚し、錆具合などはかなり強めに表現している。

砲塔後部には、積荷を追加。積荷は乱雑に配置し、戦場の車両らしさを演出。

排気管付近の錆や煤汚れ、履帯の錆具合や転輪のゴムリム部分のダメージ跡に注目。

外部燃料タンクにこびり付いた土や砂混じりの汚れ、砲塔の
雑具箱やフェンダー上に散乱した機関銃の空薬莢など、ここか
しこに戦場で酷使されている車両らしさを出す。

車体後面の荷物ラックにも積荷を追加。こうした小物類も丁
寧に塗装＆ウェザリングを施せば、完成後の見栄えが良くなる。

"TANKS of THE COLD WAR"
ホセ・ルイス作品ギャラリー

M36駆逐戦車 【 朝鮮戦争 アメリカ軍 】

塗装は、アメリカ軍車両としては珍しいオリーブドラブ／ミディアムグリーン／ダークグリーンの3色迷彩。オリーブドラブのベース色を塗装した後、マスキングテープを用いて2色の迷彩を塗布。ベース色、迷彩色ともにシェーディングとハイライトを施している。

"晩秋"の朝鮮戦争ということで、泥汚れは強めに。さらに最前線でほとんど整備されていない車両っぽさを出すため、雨垂れの跡に錆汚れなど、ウェザリングも強くしている。

タミヤ1/48のM10駆逐戦車の車体パーツとガソリーヌ1/48のM36B2改造パーツを組み合わせて製作。さらに他社エッチングパーツや金属製銃身を使用したり、プラバンによるパーツの自作や金属線を使った取っ手、フック類の作り替えなど、ディテールアップを施している。

> アメリカM10駆逐戦車(中期型)(品番32519)
> ●タミヤ1/48　●2090円、発売中　●プラスチックキット
>
> U.S. 駆逐戦車 M36B2
> ジャクソン・コンバージョンセット(品番 GAS48033K)
> ●ガソリーヌ1/48　●レジンキット

M36

M103重戦車 【 1960年代 西ドイツ駐留アメリカ軍 】

アメリカ軍 M103A1 重戦車（品番BL3548）
●ドラゴン（ブラックラベル）1/35　●8140円（プラッツ調べ）、
市場在庫のみ　●プラスチックキット

防盾カバーをティッシュペーパーで自作し追
加、履帯をフリウルモデルの金属製連結式
履帯に交換、M2重機関銃をエッチングパー
ツでディテールアップ、さらにプラバンや金
属線を多用し、ディテールアップしている。

M103

B&W技法（9～11ページ参照）を使って、
プレシェーディングを行なった後、明暗色
調を変えた色を用いてベース色のオリーブ
ドラブを塗装。白色塗料の色落ち表現
にはお馴染みのヘアスプレー技法（33、
34ページ参照）を使った。冬季の車両な
ので、ウェザリングは強めに施している。

砲塔には、部隊運用車両らし
さを出すために市販パーツの
弾薬箱やバックパック、バッグ
などのレジンパーツ、さらにエ
ポキシパテで自作したキャンバ
スシートなどの積み荷を追加。

レオパルト1 【 1965年〜1970年代初頭 西ドイツ軍 】

西ドイツ レオパルド戦車（品番35064）
●タミヤ1/35　●2420円、発売中　●プラスチックキット

1975年発売というかなり古いキットだが、全体的な雰囲気は良好。
作例は、レオパルト・ワークショップ社のレジン製の主砲と同軸機銃／
照準器口用プラグ、車体後部側面排気グリル、さらにフリウルモデル
の金属製連結式履帯、エデュアルドのエッチングパーツ、カラヤの金
属製牽引ケーブルなどを使って、若干ディテールに手を加えている。

LEOPARD 1

旧キットであっても丁寧な塗装と凝った
ウェザリングを施せば、作例のような
完成品にすることができる。車体下
部と足周りは泥汚れを激しく、転輪の
ラバーリムにはダメージ加工を施した。

塗装は、当時の西ドイツ軍車両の標準
塗装＝オリーブドラブ単色に。このレオ
パルト1もB&W技法で下地塗装を行な
い、アモMIGのRAL6014ゲルプオリー
フ（A.MIG-087）を使って、塗装している。

M50A1オントス 【ベトナム戦争 アメリカ軍】

M50A1オントス自走無反動砲（品番 AM13218）
●アカデミー 1/35　●プラスチックキット

ジオラマは、敵スナイパーの影になるように M113の背後で砲弾再装填の準備を行なっているところ。車体には、ベトナムの風土に合わせた汚しとチッピングなどのウェザリングを行なっている。車両に付いた土や泥汚れとジオラマの土色や質感を統一するのがポイント。

M50A1は、ボイジャーモデルのエッチングセットとプラバン、金属線などを使ってディテールアップ。M50A1もB&W技法を用い、基本色マリーンコーグリーンを薄く塗布することによってゼニタル・エフェクトを採り入れた塗装となっている。

M51スーパーシャーマン 【 1967年 第三次中東戦争 イスラエル軍 】

U.S.M4A3E8 朝鮮戦争（品番84804）
●ホビーボス1/48 ●2640円、発売中 ●プラスチックキット

イスラエルM51シャーマン・コンバージョンセット（品番TWS48200）
●タンクワークショップ1/48 ●レジンキット

ホビーボスのM4A3E8車体下部に
タンクワークショップのM51スーパー
シャーマン・コンバージョンパーツ（車
体上部および砲塔パーツ一式）を組
み合わせて製作している。

初期型エンジンデッキとイスラエル軍仕様
ジェリカンもタンクワークショップのレジン
パーツを使用。さらにハウラーのアメリカ
戦車車載工具、RBモデルズの金属製銃
身などを使ってディテールアップを図った。

このM51スーパーシャーマンもB&W技法
で下地塗装を行なった後、タミヤアクリル
のXF-20ミディアムグレイ＋XF-57バフ
＋XF-59デザートイエローを調色した基本
色IDFグレーを塗布している。

M51

T-55エニグマ 【 1991年 湾岸戦争 イラク軍 】

イラク軍戦車 T-55エニグマ（品番 35324）
●タミヤ1/35 ●5060円、発売中 ●プラスチックキット

組み立てに際して、砲身はRBモデルズの金属製に、また履帯はフリウルモデルの金属製連結式に交換。さらにミグプロダクションズの外部燃料配管基部、エデュアルドのエッチング製グリルなどでディテールアップしている。

この作品もやはりB&W技法による下地塗装を行なってから、基本色を塗布。基本色はタミヤアクリルのXF-57バフ＋XF-59デザートイエローを調色したものを使用。イラクの地勢に合わせ、車体下部および足周りは、泥が付着したような激しい汚れではなく、砂や土による乾いた感じの汚しを行なっている。

ホセ・ルイスの
戦車模型の作り方

Part 2 冷戦時代の戦車

編集　望月隆一

　　　塩飽昌嗣

デザイン　今西スグル

　　　矢内大樹

　　　［株式会社リパブリック］

2021年3月31日　初版発行

編集人　星野孝太

発行人　松下大介

発行所　株式会社ホビージャパン

〒151-0053　東京都渋谷区代々木2丁目15番8号

Tel.03-6734-6340（編集）

Tel.03-5304-9112（営業）

URL; http://hobbyjapan.co.jp/

印刷所　株式会社廣済堂

Publisher/Hobby Japan.

Yoyogi 2-15-8, Shibuya-ku, Tokyo 151-0053 Japan

Phone +81-3-6734-6340　+81-3-5304-9112

《模型製作・解説》ホセ＝ルイス・ロペス＝ルイス

Modelling & Description by Jose Luis Lopez Ruiz